「눈부시게
　　　아름다웠던
　나의 봄에게」

「눈부시게
　　아름다웠던
　　나의 봄에게」

「오늘도 내일도 맑은 날에」

「눈이 부신 그런 날들」

「지금 이 순간, 삶은 흐른다」

「가보지도 않은 그날이 설렜다」

인생의 사계는 반복되고 또 반복이 됩니다.
봄이 오고 여름이 오고 가을이 오고 겨울이 옵니다.

그 계절이 무한히 반복되는 것 같아도
단 한 번도 같은 봄은 없었습니다.

사계를 거듭할수록 성장 역시 거듭됩니다.

인생의 끝에 다다를 때까지
우리는 아름답게 성장을 해갈 수 있습니다.

매 순간은 단 한 번 경험할 수 있는 '소중한 삶'입니다.
그 어떤 경험도 헛된 것은 없다고 생각합니다.

그래서 예측할 수 없는 미래는,
'불안'이 아니라 '설렘'이 아닐까 합니다.

'사계의 시'를 읽으시게 될 아름다운 분들께
두근두근한 설렘만이 함께하길 바라봅니다.

— 한섬

누군가에게는 '사랑해'라는 말을 남발하면서
왜, 나에게는 '사랑해'라고 말을 해주지 못했을까

「오늘도
　　내일도
　　맑은 날에」

　　　　하루는 나를 닮아서
　내 마음 맑은 날을 소중하게 만들어서
　　차곡차곡 맑은 날만을 쌓아가는 나

어쩌면 머물렀으면 좋았을

어린 시절 올려다본 하늘은
수많은 꿈을 담을 수 있는 도화지라서

꿈을 보고
별을 보고
마음을 새기고
별똥별을 찾고

세상은
한없이 아름다운 하늘이었다

어쩌면 머물렀으면 좋았을
순수했던 나

인연은 때가 있음을 알았고
시절은 머무르지 않고 떠나감을 알았고
세상에는 아픔도 있다는 것을 알아버렸다

어른이 되어 올려다본 하늘은
수많은 세월을 담아온 도화지라서

세상은
내 마음으로 물들어버린 하늘이라서

하늘을 올려다보는 날에는
순수했던 어린 시절의 나를 찾는다

마음껏 소리 내어 울 수 있었던
어린 시절의 나를 찾는다

해달별

아프게 하는 이에게선
귀를 닫고
슬프게 하는 이에게선
마음을 닫았다

얼어붙는 것부터 배운 세상은
늘 겨울을 걷는 것만 같아서
눈을 감고 귀를 막고 입을 닫고

건네는 마음을 느낄 수 없고
나를 보는 눈동자를 볼 수 없었다

아래로
아래로
저 아래로
끝도 없이 저 아래로

아무도 볼 수 없고
아무도 찾을 수 없는
그곳에서

웅크리고 나를 감추고
세상의 흘러감을
물끄러미 바라보던 나

툭툭 털고 일어서서
해를 보고 달을 보고 별을 보고
어느새 훌쩍 자라서

해를 품고 달을 품고 별을 품고

아프게 하는 이에게선
생각을 담고
슬프게 하는 이에게선
마음을 배웠다

다시 찾은 세상에서
나와 마주할 수 있었던 사람은

그제야 어른이 되어 있었다

싫어

싫어, 라고
말하지 못하는 사람은
착한 게 아니야

싫어, 라고
말할 수 있는 사람은
나쁜 게 아니야

싫어!
라고 말할 수 있어야 돼

그래야
네가 다치지 않아

그래야
네가 아프지 않아

모래성

모래성은 계속 무너져
쌓고 또 쌓아도 슬프게 또 무너져

슬픔을 담고 아픔을 담고
그래도 나는 모래성을 쌓고

모래성은 계속 무너져
쌓고 또 쌓아도 슬프게 또 무너져

짓궂은 아이가
쓸어버린 모래성은
쌓고 또 쌓아도 아프게 또 무너져

나는 그만둘래
그래서 보내버렸어

모래성도 짓궂은 아이도

도란도란

이미 닳도록 들었던 음악은
아무도 보지 못하게 감춰버린 나를 꺼내어,

도란도란
나의 밤을 지켜준 친구

실은 아팠어
실은 슬펐어
조근조근 속삭이며

가만히 베개를 베고 누워
눈을 감고 마음을 흘려보내던 밤에

나 대신 말없이 울어준 친구

이제 그 밤을 아주 멀리 지나왔어도
마음을 잔뜩 웅크리며 기대고 싶은 날에는

가만히 베개를 베고 누워
눈을 감고 나의 오랜 친구와 함께

나의 밤을 도란도란

쪼꼬만 우산을 쓰고

쪼꼬만 우산을 쓰고
우산 밖의 세상을 바라봐

우산은 아늑하고
포근하고 안전해서
나는 우산 밖으로 나가지 않을래

빗물을 찰방이며 혼자 걷는 비의 날은
큰 우산이어도 괜찮은데
나는 쪼꼬만 우산 밖에 없어서

세상에서 가장 큰 우산을 씌워 줄
누군가 있어 주면 좋겠는데

그래도 괜찮아
쪼꼬만 우산은 아늑하고
포근하고 안전하니까

그래서
빗물을 찰방이며 혼자 걷는 비의 날은,
나는 우산 밖으로 나가지 않을래

바람을 막아 줄게

길을 걷는데
가녀린 꽃이 살랑살랑

야리야리한 봄바람에
혼자서는 힘겨운지
가녀린 꽃이 살랑살랑

웅크리고 앉아서
손바닥으로 바람을 막아 줄게
이제는 괜찮을 거야

손 안은 바람도 없고
너를 힘들게 하는 무엇도 없어

웅크리고 앉아서
손바닥으로 바람을 막아 줄게

내가 그렇게 해줄게
너는 나를 닮았으니까

아침, 한 잔의 커피

한 잔의 커피를 내렸어

쓰디쓴 맛이 나고
슬픔의 맛이 나서

아침의 커피에선
내 마음의 맛이 나

혼자 내린 커피에선
내 마음의 맛이 나

곱씹고 곱씹어도
슬프고 아픈 맛이 나

오늘도 내일도 맑은 날에

돌아오는 길에
사과를 사고 벌꿀을 사고
모닝롤을 사고 우유를 샀어

혼자 먹어도
아기자기하고 맛있는 식사

창밖의 하늘에는
바람이 흐르고 구름이 흐르고
별빛이 흐르고 달빛이 흐르고

연한 불빛의 밤에 앉아
일기를 쓰고 마음을 쓰네

혼자여도 예쁜 하루
혼자여도 맑은 하루

어제도 오늘도
내일도 모레도

끝도 없이 계속되는 맑은 날들

마음이 맑게 물든 날을 쌓아가는
어제와 오늘과 내일의 나

하루는 나를 닮아서
내 마음 맑은 날을 소중하게 만들어서

일기장에 차곡차곡,
눈물로 번지지 않도록

차곡차곡
맑은 날만을 쌓아가는 나

꽃신 앞에 웅크리고 앉아서

마음이 간질간질해서
봄날처럼 마냥 걷고 싶었던 날에

찾아 헤매는 무언가가 있어
갸우뚱해도 알 수 없고
흔적조차 남지 않아서

마음이 간질간질해서
봄날처럼 마냥 걷고 싶었던 날에
잃어버린 무언가가 있어
그래서 나는 갈 수가 없네

찾을 수가 없구나
되돌려 받을 수가 없구나

두고 온 마음이라서 가져갈 수가 없구나

마음이 간질간질해서
내 봄날을, 내 봄꽃을 만나러 가야 하는데
마음을 네게 두고 와서
나는 떠나갈 수가 없다

꽃신을 가지런히 두었는데
봄날을 걸을 수 있는 마음이 없어서

꽃신 앞에 웅크리고 앉아서
참으로 못됐다
참으로 나쁘다
참으로 네가 싫다

마음이 간질간질해서
너를 두고서 나 홀로 떠나려던 날에
나는 꽃신 앞에 웅크리고 앉아서

참으로 못됐다
참으로 나쁘다
참으로 네가 싫다

참으로 네가 그립다
나는 꽃신 앞에 웅크리고 앉아서

벚꽃잎을 똑똑 따서

벚꽃잎을 똑똑 떼어
술을 담그고

벚꽃잎을 후룩 훑어
차를 말리고

벚꽃잎을 살살 담아
꽃절임을 만든다

알아줄까
기다릴까
언제 올까

내 마음을 몰라서
올 수 없는 이를 기다리며

나는 벚꽃잎을 똑똑 따서

벚꽃술을 담그고
벚꽃차를 말리고
꽃절임을 만든다

꽃빛이 쏟아지던 밤에

밤바람 봄바람 살랑이는
너를 닮은 꽃바람에 취해서

달을 담아 꽃차 술을 기울이고
별을 담아 꽃차 술을 기울이며

온 세상이 너를 닮은 꽃빛으로 몽롱일 때

내 마음에 넘치듯
꽃차 술을 가득 따라

너를 닮은 꽃차 술을 기울이고
너를 닮은 별빛 술을 기울인다

꽃물을 똑똑

맑은 물에 똑 떨어뜨리니
청초한 꽃물처럼 번지는 게
내 마음을 닮아서

흐트러뜨리고 싶지 않아
내 마음을 닮아서

맑은 물에 똑 떨어뜨린 꽃물은
청초하게 번지는 내 마음을 닮아서
투명하고 예뻐서
그 마음이 소중해서

꽃물을 똑똑
그리움을 똑똑

청초한 꽃물처럼 번지는 게
내 마음을 닮아서

꽃잎갈피

손끝에 꽃물을 들이고
넘기는 책장마다 꽃잎갈피가 가득해

꽃에는 설렘을 담고
꽃에는 그리움을 담고
꽃에는 눈물을 담고

담은 것이 많아서
꽃물로 번지는 책장에는

오늘은 설렘을 담은 꽃잎
오늘은 그리움을 담은 꽃잎
오늘은 눈물을 담은 꽃잎

손끝에 꽃물을 들이고
넘기는 책장마다 꽃잎갈피가 가득해

담은 것이 많아서
꽃물로 번지는 책장에는

벚꽃 비가 흩날릴 때

하늘 향해 후우, 하고 불었어
벚꽃 나무 아래서

벚꽃 비가 흩날릴 때
꽃잎 밭에 사뿐사뿐
파란 하늘 저 멀리, 아주 저 멀리

하늘 향해 후우, 하고 불었어

저 멀리 날아올라
내 마음아 닿아라

저 멀리, 아주 멀리
그대 있는 저 멀리까지

닿지 못한 내 마음이
봄꽃처럼 지기 전에

꽃이 진다

꽃이 지고
한 계절이 흘러가듯

미처 피우지 못한 채
흘러갈 때만을 알아버려서

꽃이 지고
마음이 진다

체념한 채 어찌할 줄 모르며
어깨를 떨군 이를 남겨두고서

미처 봄날을 보지 못한 채
피우지 못한 마음이 세월을 따라 흘러감을,
봄을 보내듯 안쓰러이 바라본다

나는 벚꽃잎을 닮아서

언젠가 다시 만날 봄날에는
기억할 수 있을까
한없이 아름다웠던 그 시절의 봄을,

나는 벚꽃잎을 닮아서
꽃물이 되었다가
꽃비가 되었다가
꽃차술이 되었다가

소중한 마음을 가득 담아
봄에서 기다렸습니다

언제가 다시 돌아올 봄날에는
나의 봄을 기억할 수 있을까

봄꽃이 지는 계절에
이제는 사그라질 꽃날에
봄을 따라 떠나가야 함을 알아서

눈부시게 아름다웠던 나의 봄에게
안녕,
하고 인사합니다

봄을 잊지 말아요 꽃비로 내릴게요

나는 여전히 그 봄을 기억합니다

봄을 기다리던 마음만은
또다시 봄이 되어 그날에 머물며
지나가는 꽃비가 되어
그대 곁에 내릴게요

또다시 찾아올 봄날에,
봄을 잊지 말아요
아스라진 봄꽃을 기억해 주세요

봄을 잊어 나를 잊을까 봐
지나가는 봄비처럼
그대 곁에 내릴게요

그 봄날의 내 마음처럼
꽃이 되어 내릴게요

봄을 잊지 말아 주세요
그 아름다웠던 날들을,
그대의 꽃이 되고 싶었던 소중한 마음을,
그 아름다웠던 봄날의 순간들을

아이쿠 내 실수였어

밤하늘에 별이 쏟아져

저 별은 나의 별
저 별은 너의 별

저 별은 나의 별
저 별은 너의 별

별놀이를 하다가 알았어

아,
나는!

너의 별을 해줄 사람이 없구나
너의 별을 해줄 사람이 없었네

아이쿠,
내 실수였어

리라와디

꽃말을 보고 웃었다

살랑이는 바람에도 흩날리듯
발 언저리로 사뿐히 내려앉는
순백의 나비

청초한 하늘에 실려
몽롱한 바람에 실려

나의 자리를 떠나온 먼 곳에서
우연처럼 찾아든 연의 소식

새하얗게 순결한 꽃
가지런히 놓아 연의 수를 놓던 길

마음이 더딘 나를 향해 손짓을 하듯

꽃말을 보고 웃었다
너를 만난 건 행운이야

우연처럼 찾아든 연의 그리움

민들레

한 시절이 곱지 않았다
그 짧은 생,
단 한 번의 나를 피워

저물어가는 햇살 아래
어리고 고되었던 지난날을 되뇐다

아름다웠다
달의 고운 빛을 이슬에 머금고
몸을 녹이는 아침 해를 품었다

이제는 바스라져
그 눈을 잃어가고 있어도

다시 올 찬란한 봄을 위해
지우고 나를 새하얗게 피우리라

단 한 번의 나를 꽃 피우리라

시간의 길

어제를 걷고
오늘을 걸었다

시간의 뒤를 좇아 걸어온 길
멈춰 설 수도 없고
되돌아갈 수도 없는 길

주저앉고 싶어도
길을 잃어버린 순간에도

시간은 걸음을 멈추지 않는다

그래서 언제나 이 길이 두려웠다

잘못된 길에 들어선 채
내가 무너져도
나는 되돌아갈 수가 없어서

내 마음을 닮은 하늘

잿빛이 무거운 하늘
곧 무너져 내릴 것만 같아

내 마음을 닮은 하늘
찬찬히 쓰다듬던 날에

구름 사이로 청명한 하늘 한 조각
다른 세상,
내 것이 아닌 조각

구름은 흐르고 흘러서 지금이 아닌 곳으로

죽을 것 같은 시간도
시간에 갇혀 버린 지금도
흐르고 흘러서 언젠가는 가버릴 거야

청명한 하늘
너무나도 맑았던 하늘
눈이 부시게 푸른빛을 담고 있던 하늘

내 것이고 싶었던 하늘

어른이 되어버린 아이

울고 있지 않아도
울 수 있는 걸 알아버렸다

빛과 색을 잃어버린 마음은
울고 있지 않은데
울고 싶지 않은데

아무도 모르게
나조차 모르게
소리 죽여 울고 있었다

어른이 된 나는 울고 있지 않은데

자라지 못해서 힘이 없었던
그래서 아픈 걸 견딜 수 없었던

어린 시절의 내가
내 안에 웅크리고 앉아

세상이 너무 아프다며 울고 있었다

세상의 모든 아침

내 아침은 몇 개일까

태어나 세상의 첫 아침을 보고
매일의 아침을 보고
오늘의 아침을 보면서

익숙한 듯
내일의 아침을 보겠지

내가 갖고 태어난 세상의 모든 아침

얼마나 더 볼 수 있을까

아침에 떠오르는 태양과
햇살과 바람과
온기와 눈부신 따사로움을,

내가 갖고 태어난 세상의 모든 아침

언젠가 그 끝에 선다면

그 아침은
얼마나 더 예쁘고 사랑스러울까
얼마나 더 찬란하고 아름다울까

무너지려는 순간에는
내 아침을 떠올린다

그것이 열심히 살아가야 할
이유인 것 같아서

「눈이 부신
　　　그런 날들」

이미 그 별이 사라져 흔적만을 빛낼지라도
나는 별을 보고 있으니 별은 나와 함께 있구나

변곡점

단조로운 일상에
어떤 물체가

툭!
치고 지나가 버려
궤도를 이탈해 버렸는데

나는 돌아가지 않았어

네가 들어온 그 날부터
내 세상이 반짝이기 시작해서

너와 나

지금 일을 하느라 바쁜데
방해받고 싶지 않는데

네 생각이 자꾸 떠오른다
한밤중에

지금 일에 집중하고 싶고
일을 해야만 하는데

네 생각이 자꾸 떠오른다
이 시간에

전화 걸어 따지고 싶다

나 지금 엄청 바쁘니까
내 생각 좀 그만해 줄래?

네가 내 세상에 들어온 이후로
내 세상은 다른 세상이 되어버렸다

환상

오늘은 햇살이 있었고
좋은 바람이 있었다

실은 비가 내리는 날이었는데

그래서 알았다

네가 있는 곳은
햇살이 있고
좋은 바람이 있었다는 걸

내 꿈 안으로

깜박 잠들었는데
꿈속에 네가 있었다

꿈을 찾아갈 수 있는 길이 있다면

네가 내게로 온 것일까
내가 네게로 간 것일까

아무래도 상관없어

둘 중 한 사람은
그 길을 찾은 거니까

넌 정말 바보네

걷다가 갑자기,
가슴이 아파왔어

나는 아무렇지 않았는데
정말 아무렇지 않았는데

그런데 갑자기,
너무나 슬퍼졌어

네가 슬퍼하고 있구나
네가 그리워하고 있구나

이렇게 가슴이 뻐근할 정도로
시리고 아파서 울고 싶을 정도로

그럴 거면 말을 하지
혼자서 울고 있지 말고
내 앞에선 아무 말도 못 하면서

너만 모르지

너만 모르는 말

네 말은 아니라고 말하고
네 표정은 다른 말을 해도

너의 모든 것이
맞아, 라고 말을 해

너만 모르지
나는 처음부터 다 알고 있었는데

하나도 멋있지 않아

잘난 척을 하고
멋있는 척을 하면서
허세를 부리고 있어

아닌 척을 하고
관심 없는 척을 하면서
허세를 부리고 있어

평소라면 안 했겠지
너는 점잖은 사람이니까

네 모든 것이 말을 해
실은,
너를 좋아하고 있다고 말야

솔직한 말
숨길 수 없는 말

네 눈빛이 하는 말

우리는 왜

그날에 그 시간에
나는 왜 그곳으로 갔을까

그날에 그 시간에
너는 왜 그곳에 있었을까

우리는 왜 우연인 듯 만나서
어떻게 한 번에 알아볼 수 있었을까

우리는 왜 그래야만 했을까

우연이란 없더라
우연을 가장한 필연만이 있을 뿐

그리다, 별과 너를

별이 있는 밤이면 좋다
이미 그 별이 사라져 흔적만을 빛낼지라도

나는 별을 보고 있으니
별은 나와 함께 있구나

부르면 네가 올까

이미 네가 사라져 흔적만을 빛낼지라도

나는 너를 기억하고 있으니
너는 나와 함께 있구나

너와의 기억이 사라질까 봐
나는 되뇌고 또 되뇐다

네가 사라질까 두려워

기억하고
기억해내려 애썼다

그래서 너를 잊을 수 없었다

이미 네가 사라져
흔적조차 지워져 가는 밤이라 해도

아득해서 어딘지도 모를 기억 속에서
희미한 너 하나만을 바라보며
지금에 너를 담는다

네가 있는 밤이면 좋다
내가 아직 너를 기억하고 있으니

이미 그 별이 사라져 흔적만을 빛낼지라도

나는 별빛을 보고 있으니
별은 나와 함께 있구나

여름별이 빛났었다

밤하늘 한가득, 별무리가 재잘대고
별빛의 강이 아련히 흐르던 그 밤에
날 알아본 듯 밝게 빛나던
여름밤의 별 하나

별 하나가 웃었다
아름다웠던 여름밤의 별 하나

여름별을 제자리에 두고 돌아오던 길은
두근거리는 별빛만이 가득한 가슴

여름별이 웃었다
여름별이 빛났었다

아름다운 별 하나가
내 마음에 빛났었다

너라는 별빛이 가슴에 새겨졌다

네 웃음이 좋아서

나를 향해 웃었다
나는 아무도 보지 않는데

다들 그래, 다를 게 없어
너도 똑같겠지

나를 향해 웃었다
아무도 볼 수 없는데
마음이 표정을 잃어버려
웃을 수 없는데

나를 향해 웃었다
네 웃음이 좋아서
웃는 마음을 바라보았다

나는 마음이 없어서 그래
네 웃음이 햇살처럼 따스해서,
그게 진짜인 것 같아서

그래서 믿고 싶었어
그래서 웃고 싶었어
그래서 네가 필요했어

해바라기

해를 바라보고
해를 좇는다

서로를 바라보는데
닿을 수가 없는 너라서
하루하루 바라보는 것밖에는
할 수 있는 게 없구나

꽃과,
하늘의 별로 만나

그리워하고 또 그리워해도
그저 바라볼 수밖에 없는 너라서

해를 바라보고
해를 좇는다

모든 순간을 다해 바라보아도

나만은 닿을 수 없는
내 하늘의 아름다운 별

먼 곳에서 온 기억이

머리는 기억하지 못하는데
먼 곳에서 온 기억이

기억하라 했다
그 모습을 잊지 말라고

기억하라 했다
그 모습을 지우지 말라고

그래서 알 수 있었다

바로 너란 걸
너였다는 걸

붙박이별이 되어

나를 떠난 발걸음에
나는 되돌아서지 못하고

그 자리에 붙박이별이 되어
돌아오지 않을 계절을 기다린다

내 마음을 몰라서
내 마음이 늦어서
이미 떠난 계절임을 알아도

여전히 그 밤에서 떠나지 못하고

혹시 네가 길을 잃을까 봐
그래서 내게 오지 못할까 봐

네가 떠난 그 계절에 남아
떠나갈 수 없는 붙박이별이 되어

돌아오지 못할 계절을 하염없이 기다린다

처음부터 너였다

스치는 인연인 줄 알아서
너를 담지 않았고
보아 달라 하지 않아서
괜찮은 줄 알았다

처음부터 시간은 멎었고
그 후로 흐르지 않았다

처음부터 너였다

처음부터 세상에는
너만이 존재했다

한 사람이 필요했다

너무 닮아버려
이제는 다른 이를 배우지 못한다
그래서 한 사람이 필요했다

그 이름과
그 순간들,
끝까지 기억할 수 있도록

나는 너를 닮아가야만 했다

그래서 한 사람이 필요했다
너만이 필요했다

여전히 너라서

문득 삶을 멈춰 돌아보면

네 기억은 멈추질 않고
모든 시간에 흐르고 있어

나는 비록 지금에 있지만
그 여름날과 같은 바람에 실려
네가 있던 그곳으로 갈 수 있다면

네가 존재하던 시간을
그 모든 순간들을,
내가 다시 기억하기 위해
그곳으로 돌아갈 수만 있다면

그 여름날과 같은 이 바람에 실려서
다시 되돌릴 수만 있다면

아직도 너라서
여전히 너라서

우리는 언젠가 만난다

언젠가는 만날 것 같은 사람

알 수 없는 그리움
그 또한 나를 찾고 있을 것 같아

우리는 어쩌면
보이지 않는 시간과 공간 속에서
우리는 어쩌면
마음이 맞닿아 있을 것 같아

어쩌면 꼭 만나야 할 인연

두 사람은 마음으로 기억하는 인연
서로를 그리워하고 있을 인연

너와 나, 우리

마음을 다해서

마음을 다해서 사랑했던 사람에게는
마음이 남지 않는다

그래서 떠날 수 있었다

줄 수 있는 마음이,
더 이상 남질 않아서

실을 풀어 마리를 엮어

아픈 인연을 놓지 못해
아스라이 지며 녹아내리던 달

달빛이 뭍빛으로 번져가는 밤에 앉아
끝나지 않을 것 같은 밤에 앉아

일그러져 아픈 달을 보며
달빛이 번져서
하염없이 흐르는 세월을 본다

아픈 달이 지면
새 달의 흔적을 찾아
그 연을 따라가리라

놓지 못함은 미련인 것을,

놓지 못하면
떠나갈 수 없음을 알아서

스스로 베어서
연이 흐르는 강에
흐르듯 놓아준 연은

흐르고 흘러
다시 못 올 흐름을 따라,

시절도 잊고 마음도 잊고
담아온 세월을 모두 풀어
흐르는 강에 훨훨 풀어

아픔을 놓아준 밤

아스라이 진 달이
다시 차오를 때까지

새 달이 차오를 때까지

실을 풀어 마리를 엮어
그 실의 엮임을 따라

나를 이끄는
빛이 고운 홍연을 따라

두 사람이 있었던 날

풀 내음과 흙 내음이 뒤섞여
내 마음에 비가 내리던 날

손을 내밀어
손바다에 담아본 그리움의 입자들
보드랍고 촉촉한
뭉글하고 아련한,

언제였을까

손을 내밀어
손바닥에 담아본 그날

기억을 담은 풀 내음
그날과도 같은 흙 내음
그리움이 가득한 비 내음

서로를 마음껏
그리워할 수 있었던 날

두 사람이 있었던 날
두 사람이 함께였던 날

또 하나의 나

서로를 기억하는데
마치 처음 만난 것처럼,
이 세상에 태어나
처음 만난 것처럼,

하지만 너를 알아보았다

또 하나의 나

아련하게 그리웠던 마음
기억 저 너머에서부터
그리움을 품고 온 인연

인연의 강에서 흐르고 흘러
홍연의 줄기를 따라온 그곳에서

이제야
찾을 수 있었다

잃어버려서 못내 아팠던,
또 하나의 나

닮은 사람

거울을 보듯 서로를 닮은 두 사람

긴 세월 속에서
다른 공간, 다른 시간 속에서
마치 쌍둥이인 것처럼

서로를 닮아 온 두 사람
우리 두 사람

별의 길

손끝으로 별을 이어
길을 그렸다

희미한 기억을 따라
밤하늘에 그리던 얼굴
기억에서 선을 찾아
밤하늘에 연을 놓던 마음은,

어느새 별을 따라 걷는다

나를 이끄는 별을 따라
닿을 수 있었던 길의 끝에는,

다정한 눈동자와
마음을 담은 눈길과
그리움을 전하는 목소리

별이 빛나는 밤하늘
나를 보며 웃는 하늘

눈이 부시도록 밝게 빛나며
날 기다린 별의 하늘

지나고 보니 그랬다

사랑하고 싶은 마음은
사랑받고 싶다는 의미였다

사랑은 주지 않으면 받을 수 없었고
되돌려 받지 못하면 기대한 만큼 아팠다

주지 못한 사랑은 미련과 후회로 남아서
남겨진 자는 그 자리를 맴돌며 떠나지 못했기에

주기만 하는 사랑도 괜찮았다
마음껏 사랑했기에
홀가분히 떠날 수 있었다

사랑으로 채우지 못한 공허함은
다른 사랑을 통해 채울 수 있었고

삶은 그런 순간들의 반복이었다

「지금 이 순간,
　　　삶은 흐른다」

행복하지 않은 오늘을 어제에 담았다
　　행복하길 바라는 내일을 좇는다
감정은 지금, 이 순간에만 존재하는데
　　지금 행복해야 함을 잊고 있었다

밤과 별과 마음의 시

별빛을 가득 담고 싶은데
마음은 그리 쓰이지 않는다

뒤척이던 밤에
마음의 조각들에 이름을 붙여 보던 밤에
잠들지 못하던 밤에

나조차 헤아릴 수 없는
마음의 파편을 시에 담는다

별빛을 가득 담고 싶은데
마음은 그리 쓰이지 않는다

길고 길었던 밤의 상흔이 쓰인다

고이 접어서

하루를
서랍에 담았다

고이 접어 닫아버렸다

지금을 잊고 싶어서
그러면 잊힐 것 같아서
그래서

서랍에 담았다

마음을 닫아버렸다

또다시 시작되는 하루

또 시작되는 하루
지긋지긋하게,

눈을 뜨면
또 시작되는 하루

세상은 그대로인데
마음만 무너진 세상에서
나는 세상과 분리가 되어

벗어날 수 없는데,
갇혀 버린 지금에서

그런데 눈을 뜨면
또 시작되는 하루

잔인하게 또 시작되는 하루

하룻밤 자고 나면

괜찮지 않은 날이어도
하룻밤 자고 나면 괜찮았다

모든 것은 흘러가더라
멈춤을 모르는
흐르는 강물처럼, 미련 없이

모든 순간은 흘러간다

그러니까 괜찮다
하룻밤 자고 나면

하룻밤 자고 나면
또 하루가 흘러가 있더라

나의 궤도에서

익숙한 길을 걸었다
그곳에서 나는 편안했다

나의 안식처였다
나의 집이었다

그래서

떠나야 했을 때
많이 울어야 했다

어디로 가야 하는 걸까
그곳이 내 세상의 전부였는데

어디로 가야 하는 걸까
어디에서 쉴 수 있을까

두렵고 낯선 길에 떠밀려
새로운 길을 찾아가야 하는 곳에서
아무것도 몰라서
너무나도 두려워서

내 몸을 담기에는
이 세상이 너무 많이 넓기만 해서

미아가 되어버린 채로
멈춰 섰던 날에
내가 할 수 있는 것은
아무것도 없었다

익숙한 나의 길에서 벗어나
새 궤도를 찾아 떠나야 했던 날에
이제는 홀로서기를 해야 했던 날에

그 두렵던 날에
그 슬펐던 날에

그 아팠던 날에
나는 딛고 일어서야만 했다

언젠가 닿을 수 있을 때까지

낯선 길이어서
덤덤히 걸어야 했다
마음을 쓰면 금세 무너질 것 같아서

감추고 누르고
땅을 보며 걷던 길

길을 따라가면
언젠가는 그 끝에 닿을 수 있을까

하루를 걷고
또 하루를 걸어야 했던 길

낮을 잊고 밤을 울고
나를 지우고
마음을 떨구며 걸어야 했던 길

어딘지 모를
그 끝에 닿을 수 있을 때까지

아무것도 할 수 없었던 나
그것밖에 할 수 없었던 나

나를 지새운 밤들

빛이 없는 밤,
길을 알 수 없는 사람은
밤에서 깨어나질 못한다

어딘가에서 별을 잃어버렸다

잃어버린 별을 찾아
밤하늘을 헤매고 또 헤맨다

별이 지고
달이 지고
세상의 모든 빛이 사라져

나를 지새운 밤들
나를 잃어버렸던 밤들
울어야 견딜 수 있었던 밤들

내 별을 잃어버렸던 날들

바람의 결을 타고

숨의 결을 따라
나비를 살포시 띄워 보낸다

저 멀리 날아올라
자유롭게 날아올라
바람의 결을 타고 유영하며

내가 보지 못한 세상을
나 대신 배우고 와줄래

세상의 끝까지
가슴 후련하게 날아올라
고됨과 응어리를 털어버리고
삶의 무게를 털어버리고

내 마음처럼 날아올라
모든 것을 훌훌 털어버리고
몰랐던, 세상의 온후함을 배울 수 있도록

내 가슴 후련하게
자유로이 날아보았으면

밤과 꿈

꿈을 꾼다
꿈을 그린다

더 높이
더 멀리

끝없이
날아오를 그날을 위해

그 꿈을 위해 존재하는 밤

꽃 그림자

햇살을 받아 눈부시게 반짝이던
꽃

예뻤다
고왔다

나는 그것을 다시 볼 수 있을까?

꿈을 꾸었고
그것이 꿈인 줄 알아도
달콤해서
중독이 되듯 또 꿈을 꾸었다

나는 그 꿈을 다시 볼 수 있을까?

한창 빛나는 시절을 지나
쓰리고 바래진 계절로 들어서

메마른 가을 햇살처럼 바스라져 가는
나라는 꽃 그림자

참 고마웠다고

오지 않을 것 같았던 날에
어둡고 음울한 긴 터널의 끝에서

되돌아보면
아픔으로 걸어온 길
어쩌면
반드시 지나야 했던 길

길의 끝에 서서
내 눈 앞에 펼쳐진
눈부심
햇살
세상

고마웠다, 인사를 한다
뒤로 남겨진 나에게

참
고마웠다고

산보길

걸음이 느린 사람이라서
혼자 걷는 게 좋았다

세월에 더디고
나 홀로 뒤처지더라도,

걸음이 느린 사람이라서
더 많이 담을 수 있었다

내딛는 걸음에 아픔을 담았고
마음을 담았고
세상을 담았다

걸음이 느린 사람이라서
나 홀로 산보하듯 걸어온 길

그래서 좋았다
그래서 배울 수 있었다

걸음이 느린 사람이라서,
그래서 그럴 수 있었다

별똥별

작년에도 별똥별이 떨어졌어
나는 소원을 빌었어

어제도 별똥별이 떨어졌어
나는 소원을 빌었어

오늘도 별똥별이 떨어졌어
나는 소원을 빌었어

내일도 별똥별이 떨어지면
나는 따지러 갈 거야

별똥별이 게을러서 일을 안 해
정말 나빴어
정말 나빴어

별똥별은 게으른 별이야

살아간다는 것

이 감정, 저 감정 모조리 겪어보면
어떤 감정이 제일 마음에 드는지 알 수 있을까

경험이 많은 노장은 노련하고
아는 감정이 많으면 감정에 노련해진다

사람은 태어나서부터 감정을 배워나간다

그런데도
익숙해질 수 있는 감정이란 없더라

네가 나를 기억하면

만약 네가 나를 기억하면
나는 네 기억 속에서 영원을 살 거야

네가 나를 기억하면
나는 너와 영원히 함께할 수 있을 거야

만약 네가 나를 기억해준다면
비록 우리 함께하지 않아도

들꽃, 그들이 품고 있는 이야기

누구도 알아주지 않는 하찮은 씨앗이었지만
연하고 생그러운 싹을 틔우고 기뻐했습니다
나는 지금 이곳에 존재하고 있어요

비바람에 휘둘리기도 하였으나 인내하였고
결국에는 세상에 하나밖에 없는 꽃을 피워냈지요
아무도 알아주는 이 없이 흔하디흔한 들꽃일지라도
나는 지금 이곳에 존재하고 있어요

알려지지 않아도 금세 잊힐지라도
나는 나의 이야기를 고스란히 담고 있습니다

누군가에게 내일 꺾일지도 모르고
누군가에게 모레 밟히게 될지도 모르는
아무개 꽃

볼품없이 초라한 행색이어도
담아오고 품어온 이야기는 소중합니다

나의 이야기도 예쁘고
그대의 이야기도 예쁩니다

나의 이야기가 소중하듯
그대의 이야기도 소중하겠지요

이름 없는 잡초라 홀대를 당할지라도
뿌리째 뽑혀 버려지는 시든 나무가 될지라도

태어나 품고 담아온 이야기를
소중히 여기고 싶습니다

소중하지 않은 삶은 없습니다
그 마음을,
알아주셨으면 합니다

커피 참 맛있다

아침에 기가 막힌 첫 커피를 내렸어
커피, 참 맛있다

노래를 흥얼거렸고
나의 고양이에게 굿모닝 인사를 했어

아침 산책을 나갔고
갓 구워진 마들렌과 따뜻한 커피를 샀다

커피, 참 맛있다

사람들에게 인사를 했고
사람들은 웃으며 나의 안부를 물었다

사람들이 웃었다
고양이도 웃었다
나도 웃었다

우리 모두 웃었다

오늘도 좋은 일 했다

집에 돌아와
기가 막힌 세 번째 커피를 내렸다
커피, 참 맛있다

커피가 맛있어서
내 세상이 행복해졌다

바로 여기에 삶이 있어

시간은 태초를 기억하고
바다는 시간을 노래한다

영겁의 시간 동안
찰나의 빛이 되어 살아가더라도
내가 무엇이고
왜 살아가고 있는지 알 수 없어도

지금, 이 순간
내가 이곳에 존재하고 있음을
문득 깨닫는다

숨을 쉬고
자연을 느끼고
사랑하는 이들을 보면서
감정을 일으킬 수 있고

슬퍼하고
아파하고
눈물을 흘리며
고통스러워할 수가 있다

나는 살아가고 있구나

크래커를 씹으니
바삭거리는 느낌이 좋았다

커피를 홀짝이니
훈훈한 향이 좋았다

내가 무엇이고
왜 살아가고 있는지는 알 수 없어도

크래커는 바삭거리고
커피는 향기롭더라

그 사소한 순간들은,
내가 살아 있어서 느낄 수 있었다

지금 이 순간

지금은
다시 주어지지 않는다

몇 번을 다시 태어나도
일백 번 고쳐 죽어도
지금은 다시 가질 수 없다

그 소중한 순간들을
헛되이 흘려보내고 있었다

흔한 착각

행복하지 않은 오늘을 어제에 담았다
행복하길 바라는 내일을 좇는다

감정은 지금, 이 순간에만 존재하는데,

지금 행복해야 함을 잊고 있었다

매 순간이 삶의 목적이다

지금은
'이 순간 생'의 다른 이름이다

과거는 '이 순간 생'의 죽음이
'기억'이 되어가는 과정이고

삶은 '이 순간 생'의 연속이기에
나는 '지금'만을 살아가는 존재이더라

살아있는 매 순간이 삶의 목적이었다

내가 존재하는 모든 순간이
내가 살아가는 목적이었다

언젠가 길의 끝에 서서

그 인생, 따분하여 좋았다
무료하여 평온하였다
헤아릴 수 있는 마음이 있기를
밝은 눈이 있기를

길에서 만난 비바람도
산들바람도 작은 풀꽃도

모두가 나를 가르친 스승이었다

구름과 조우하는 기쁨이 있었다
바람이 이끄는 길이라서 좋았다

그 인생,
참으로 따분하여 좋았다

아름다운 시였다
그리 노래할 수 있기를

꽃이 핀다

모진 바람에 베이고 꺾이고
세월이 주는 가르침에
주저앉아 하늘을 보았다

세기고 싶지 않았던 상흔과
품고 싶지 않았던 한숨이 켜켜이 쌓여
세월을 닮아가는 나를 본다

싹을 틔웠던 햇살은 오늘의 햇살과 같지 않고
바람이 불어야 버팀과 견딤을 배울 수 있기에
세월 앞에 겸허히 고개를 숙일 수 있을 때가 되어서야

꽃이 핀다

그 누구도 피울 수 없는,
단 한 송이의 아름다운 꽃을 피운다

여린 꽃잎 하나하나
나 태어나 이 세상을 살아 고스란히 품어온

누구도 닮지 못한
내 흔적의 꽃을 피운다

달

보름을 보고
또다시 보름을 본다

온전치 못한 세상은
일그러진 만큼 아파서

여린 바람조차 시리고
구름이 몸을 가리울 때 울고

세월의 흐름을 깨칠 때까지
내 빛을 온전히 품을 수 없음을,

피고 지고

빛을 피우고
나를 지우고

그 잔인한 상흔이
삶임을 배운다

수많은 별빛 중에

나는 언제나 희미한 별 같아도
그 어떤 별보다 반짝이는 별빛이었다

누군가의 가슴에서 더 크게 반짝이고
내 가슴에서 한없이 반짝이는 별빛이었다

스스로 눈을 가려 미처 보지 못했을 뿐

누구도 닮을 수 없는
나만의 별빛을 반짝이고 있었다

「가 보지도 않은
　　　그날이 설렜다」

　　　　　　　　　　두려움은
　　　한편으로는 설렘이었고
　　　　설렘은 기대가 되어
　　　아직 오지 않은 날을
　　　　　꿈꿀 수 있었다
　　가보지 않은 날이어서
　마음껏 설렐 수 있었다

겨울의 자리에서

한겨울에 꽃을 발견하는 일이
자연스러운 일이던가
버석버석 메마르고 척박한 환경 속에서
눈에 들어온 꽃 한 송이

내가 발견한 것인가
그 존재를 스스로 알린 것인가

따뜻한 시절에는
그 누구의 눈길도 사로잡을 수 없는
흔하디흔한, 이름조차 알 길 없는 들꽃

그 기묘하고 우연한 만남에
몸이 차가워지는 줄도 모르고
한참을 살펴보았던,

그것도 인연인지라
돌아서는 내내 눈에 밟히던

겨울에 피어난 꽃

겨울이 오던 자리
그 매섭고 가슴 아리는 계절은
왜 그리도 반복되는지

겨울이 너무도 아프고 지긋지긋해서
이제 그만하자고 놓아 버리려던 그 계절에,
나를 알아보고 온기를 전해주던 인연

얼어버릴 것 같은 눈에 파묻히고
시리고 아프고 미칠 것만 같아서
나조차도 꺾어 버리려던 겨울의 꽃을,
가만히 손을 잡고 기다려 주던 발걸음

매섭고 아리기만 하던
겨울이 지나간 자리에서
내 자리에 찾아오던 그 발걸음을,

나는 여전히 기억합니다

네가 반짝이던 겨울에서

네가 반짝이고
내가 반짝이던 겨울에서
나는 여전히 환상을 본다

얼어붙은 밤하늘에
붙박이별을 보고 길을 찾던 시절에

너의 자리가 있어 버틸 수 있었다
나는 매섭고 혹독한 겨울을 지나던 사람이라서

별을 잃지 않고 네 자리를 보며 걸었다
길을 잃지 않고 걸을 수 있었다

고마웠습니다
참 감사했습니다

겨울꽃이 지나간 자리에서
내가 겨울을 지나온 자리에서

그래서 네가 반짝이고
내가 반짝이던 겨울에서
나는 여전히 환상을 본다

봄에 가자 말을 못 했다

웃었다, 재잘댔다
한겨울이 춥지도 않은지

마음이 봄만 같아서
한겨울이 춥지도 않은지
웃었다, 재잘댔다

닿을 수 없는 겨울의 환영이어도
봄의 아지랑이처럼 일렁이던 마음에
함께 웃었다, 함께 울었다

겨울의 자리를 떠날 수 없는 꽃에게
차마 봄에 가자 말을 못 했다
녹아서 사라질 것만 같아서

몸을 잔뜩 웅크리고 앉아서
나를 보는 겨울꽃을 보며 웃었다
내 몸이 얼어가고 있어도
마음만은 봄날의 아지랑이 같아서

그래서 봄에 가자 말을 못 했다
네가 녹아버릴 것을 알아서

얼음꽃

발자욱이 따라오던 눈길에
뒤돌아보면 홀로 걷는 발걸음

차마 되돌아서기 힘겹던 길에
나 이제 오지 않아요,
말하지 못하고 가만히 미소만 지었다

나의 온기에 녹아버릴 것만 같았던
나를 기다리고 있을 것만 같았던

겨울의 계절이 맺어준 인연의 꽃

늘 그 자리에 있어 줄까
계절이 지나면 함께 두고 올 인연
못내 잊지 못해 다시 찾아가던 그 계절에

참으로 아름다웠다
그렇게 소리 없이 웃고만 있었다

차마 되돌아서기 힘겹던 길에
나 이제 오지 않아요,
얼음꽃을 두고 돌아오던 길에

미련만큼이나 멈춰 서서 울었다
뒤돌아보면 홀로 걸어온 자리에서

눈이 품은 빛처럼 반짝였겠지
두 사람 함께 걸을 수 있었더라면

참으로 좋았겠다
참으로 좋았겠다

참으로 좋았겠다
되뇌이며

꽃이 머물던 자리

눈이 녹고 봄이 오는 자리에
이미 그 인연은 없더라

손으로 더듬고 눈으로 좇아도
그리움의 흔적조차 남지 않아

곁에 머물지 않던 발걸음을 기다렸을까
얼어붙은 자리에서 그리움을 인내하던 시간
미처 알지 못하고 지나쳐 버렸던 가냘픈 인연

눈이 녹고 함께 녹아 버리던 순간조차
오지 않는 발걸음을 기다리고 있었을까

그 마음을 몰라서 후회하는 사람에게
걸음이 느려 너무 늦었던 사람에게

그리움의 흔적조차 남기지 않고
겨울을 따라서 녹아 버린 자리

눈이 녹고 봄이 오던 자리에
이미 그 인연은 없더라

뒤돌아서던 봄에

꽃이 나를 부르면
진짜 봄꽃을 보러 가렵니다

한겨울의 꽃은
참으로 아름다웠습니다

하지만 한겨울의 꽃은
닿을 수 없는 환영과도 같아서

그래서 더욱더 아름다워서

그 몽롱했던 아름다움만
기억하고 싶습니다

거짓말인 것을 알면서도

꽃이 나를 부르면
진짜 봄꽃을 보러 가렵니다

거짓말인 것을 알면서도
진짜 봄꽃을 보러 가렵니다

겨울날에 겨울 볕에 돌아오던 길

내 마음, 활짝 웃게 해줄 이가 있을까
나는 늘 웃고 있는데
언젠가부터는 웃지를 않아
나는 여전히 웃고 있는데

내 마음이 웃었다
겨울의 차가움은 아랑곳하지 않고
지나고 보니 나는 웃고 있었다
내 마음이 웃고 있었다

서늘함을 품은 계절일지라도
따스한 봄볕을 거닐 듯 웃고 있었다
그 소중함을 미처 알지 못했다

겨울날에 겨울 볕에 돌아오던 길은
꽃의 자리를 기억하는 심장이 있어서
마음이 활짝 웃고 있었다

돌아갈 자리를 잃어버린 봄날은
따스해도 겨울의 칼날 같은 바람이어서

웅크리고 앉아서 바라보던 따스한 눈빛을
잃어버린 차가운 겨울과도 같아서

마음은 겨울의 자리에서 얼어붙었다
마음을 그 자리에 두고 뒤돌아왔다

나는 늘 웃고 있는데
내 마음은 웃지 않아도
나는 늘 웃을 수 있구나

내 마음, 웃게 해줄 이가 있을까
나는 늘 웃고 있는데
언젠가부터 웃지를 않아
나는 여전히 웃고 있는데

마음은 여전히 겨울을 걸으며
기억 속에서만 웃고 있었다

겨울꽃을 바라보며 웃고 있었다

겨울이 보내준 인연

시절이 가르친 인연은
시절이 보내준 인연이라서

머물던 자리를 더듬어도
잔상조차 남지 않아서

봄이 지나고
여름이 지나고
가을이 지나고
또다시 겨울이 지나서

또 네 개의 계절을 지나고
또 네 개의 계절을 지나서

또다시 겨울을 지나는 자리에서
너를 닮은 꽃을 보며 울었다

봄꽃을 후우 불어 날리듯
허공으로 눈꽃을 흩날리며

너를 떠올리지 못해서
내가 너를 기억하지 못해서
그 흔적조차 더듬지를 못해서

눈꽃이 흩날리는 돌아온 계절에
나는 지난 겨울에서처럼
또다시 겨울을 지나는 자리에서

너를 닮은 꽃을 보며 울었다

시절이 가르친 인연은
시절이 보내준 인연이라서

지나가면 사라질 인연이라서

너를 기억하지 못할까 울었고
너를 기억하지 못해서 울었다

시절이 가르친 인연은
시절이 앗아갈 인연이라서

야생화

소유하고 싶어 움켜쥐면
머지않아 네 생명이 다할 것이란 것을 알기에
그저 부드러운 눈길로 그 간절함을 대신 한다

찰나일지라도 나의 기억 속에
네가 존재하는 시간을 살기 위해
지금 너의 앞에 나를 머물게 한다

나의 발자취를 기억할런지
너를 바라보던 나의 감정을 기억할런지

이제 나의 발걸음이 너에게 닿지 않는다 해도
네 곁을 맴돌던 나의 엷은 흔적들을 기억해 줄런지

손길이 닿았음에도 나는 그 손길을 기억할 수가 없고
눈길이 머물렀음에도 나는
그 눈길을 떠올릴 수가 없으니

삶의 한순간을 너와 같은 공기로 숨을 쉬며
너의 숨이 닿은 수많은 미립자가 나와 함께하였음을
섬세한 마음의 기억으로 어루만지며 살아가리라
내가 너를 기억하고 살아가리라
그렇게 너에 대한 기억만을 소유하고 살아가리라

머무름과 떠나감

때로는 머무름이,
때로는 떠나감이 고통일 수 있었다

그래서 때로는 비워냄이,
때로는 채워감이 평온일 수 있었다

담요 안에서

담요 안에 웅크리고 앉아서
뜨거운 커피를 홀짝이며

아, 참 좋은 겨울이다

어제도 오늘도
내 몸을 데울 수 있는

담요가 있어서 참 다행이다

빵을 구웠어

빵을 구웠어

보드랍게 부풀어 올라
뜨끈한 빵김을 뿜어내며
야들야들한 속살을 드러내는

겨울의 빵을 구웠어

함께 먹을 사람이 없어도 괜찮아

커피도 우유도 고양이도 있어서
오늘도 빵을 구웠어

온기와 향기가 가득 배인
폭신한 빵을 구웠어

혼자서 겨울을 나기에는
이만한 게 없거든

그래서 오늘도 빵을 구웠어

무료함이란 그런 거였어

때로는 가장 평범한 일상이
때로는 가장 무료한 일상이

때때로 찾아오는 휴식임을 배웠다

잠시 쉬었다가
또다시 숨 가쁘게 달려가기 위해
실은, 몸을 잔뜩 웅크리고

따분함에 지루해질 수 있도록
바깥세상을 기웃거릴 수 있도록

나를 한껏 무료하게 만드는 시간이었다

겨울의 밤

그 밤, 참 길기도 하다

겨울을 모두 배울 수 있을 때까지
그래야 물러날 것을 알아서

그것밖에 할 수 없는 사람은
겨울을 온전히 마주하여 배운다

그 밤, 참 길기도 하다

그래도 언젠가는
동이 트겠지, 하며

삶이, 왜냐고 물을 때

인생이란 태엽을 감아
목적도 모르는 채 살아가는 것 같아도

삶이 소중한 이유는
그 삶이 곧 '나'이기 때문이다

고통스러운 순간조차
견디며 그 삶을 살아갈 수 있는 것은

그 삶이,
보기에도 안쓰러운
무조건 감싸 안고만 싶은

'나'였기 때문이다

오늘을 걷다가 문득

어딘가에 존재할 행복을 위해

숨 고를 여유 없이
거칠고 고된 길을 걷다가,
문득

아주 잠깐의 쉼을 즐긴다

그 짧은 쉼이 행복임을 알았다

달려야 심장은 뛸 수 있고
멈춰 서야 쉼의 기쁨을 알 수 있었다

삶은 그런 순간들의 연속이었다

그의 이름을 불러주었을 때

내 삶이 무의미하게 느껴지던 날
삶의 가치를, 그 무게를 가늠해 보았다

그것을 알 수 있는 저울이 있을까

스스로 저울이 되어 걸어온 길을 되돌아본다
그럼에도 불구하고 꽤 괜찮은 삶이었다

내가 그의 이름을 불러주었을 때
그는 나에게로 와서
꽃이 되었다, 라고 했던가

유레카

먹고 싶을 때 먹고
자고 싶을 때 자고
사랑하고 싶을 때 사랑하고
울고 싶을 때 울고

본능에 충실할 때
가장 행복할 수 있다는 걸 알았다

그런데
그 간단한 것이 왜 이리도 힘든 건지

삶은 매 순간

삶은 매 순간,
살기 위한 투쟁이더라

최초의 생이 세상에 태어나
단지 살아내기 위해 존재했듯이

진화를 거듭하며 그 생을 연장해 왔어도
삶은 단지 살아내기 위함에 목적이 있었다

그래서 삶은 매 순간,
살아내기 위한 투쟁이었다

때로는 허무하게 느껴질지라도

지금을 소중히 여기는 것이
매 순간을 열심히 살아가는 것이,

실은 가장 가치 있는 일이란 것
내 삶의 목적이란 것

즐기며 살 수 있다면
더욱 현명하게 살아낼 수 있을 뿐이란 것

모든 순간의 기적

삶은 부존재에 대항하기 위한
존재의 몸부림이며

없음에서 있음을 증명해가는 과정이다

내가 존재하는 모든 순간이
그 기적 같은 순간임을 잊지 않는다

가보지도 않은 그날이 설렜다

두려움은
한편으로는 설렘이었고

설렘은 기대가 되어
아직 오지 않은 날을 꿈꿀 수 있었다

어른이 되어 또다시 올려다본 하늘은
수많은 마음을 담을 수 있는 도화지라서

매일의 아침을 맞이하며
또다시 새로운 사랑을 꿈꾸고
길잡이별을 찾고
마음을 새기고

한없이 아름답게 물들어 갈 노을이었다

가보지 않은 날이어서
마음껏 두려워하고
마음껏 설렐 수 있었다

그 시간이 보이지 않아도

매 순간이 처음이라서 길을 모를 수밖에 없었다

가고 싶은 곳이 있어서
방황도 할 수 있는 거였다

부족함을 채우기 위해 기다려야 했고
채워서 넘칠 수 있을 때까지 버텨야 했다

그 시간들이 있었기에
지금의 내가 있을 수 있었다

마음만은 그랬어

갖고 싶은 게 많아서
하고 싶은 게 많아서
사랑받고 싶어서

욕심을 부렸다

욕심이 많은 사람은
더 열심히 살아야 하는데

편하게 있으면서
다 갖고 싶다고 했다

그래서 마음이 힘들었다

몸이 따로 놀고 있어서

살아보고 나서야 알 수 있었다

인생의 답을 알 수 있으면 지금이 편해질까

내 마음이 변덕스러운 것처럼
인생 또한 변덕스러운 것임을

살아보고 나서야 알 수 있었다

인생이 곧 '나'였음을

눈부시게 아름다웠던 나의 봄에게

2022년 3월 14일 초판 1쇄 발행
2022년 3월 14일 초판 1쇄 인쇄

지은이　　　|　한섬

책임편집　|　송세아
편집　　　　|　안소라, 김소은
제작　　　　|　theambitious factory
인쇄　　　　|　아레스트

펴낸이　　　|　이장우
펴낸곳　　　|　꿈공장 플러스
출판등록　|　제 406-2017-000160호
주소　　　　|　서울시 성북구 보국문로 16가길 43-20 꿈공장 1층
전화　　　　|　02-6012-2734
팩스　　　　|　031-624-4527
이메일　　　|　ceo@dreambooks.kr
홈페이지　|　www.dreambooks.kr
인스타그램 |　@dreambooks.ceo

ISBN　|　979-11-92134-07-9

정 가　| 12,000원